節日小百科
中國節日故事

目 錄

很久很久以前，深山裡住著一隻野獸，這隻野獸叫做「年」，所以大家叫牠年獸。

年獸的身體很粗壯，力氣也很大，只要牠大吼一聲，所有的動物都會嚇得趕緊逃跑。

　　年獸平時都捉山裡面的動物來
吃，可是，一到冬天，天氣非常
地寒冷，動物們全都躲起來冬眠
了，年獸找不到食物吃，肚子非
常餓，就會在晚上跑到山下的村
子裡尋找食物。

　　第二天一早，村民們看到他們所飼養的禽畜都被吃光了，非常氣憤。

　　「太可惡了！我家的牛、羊都被年獸吃光了。」

「你看！我家的雞鴨也被吃掉了，我們一定要除掉那隻可惡的年獸。」

於是，村長便派幾個年輕力壯的人，準備殺死年獸。

沒想到，那些年輕人不但沒有
殺死年獸，反而被年獸咬傷了。
一個年輕人説：「那隻年獸好厲
害，牠張開大嘴巴，一口就吞下
了好幾隻雞鴨。」

年輕人接著又說：「我們不但沒有辦法殺死年獸，反而全都受了傷。」村長和村民們聽了都非常害怕，小孩子更是嚇得哇哇大哭。

　　有人說：「怎麼辦？我們沒有
辦法制伏年獸，難道要讓年獸把
我們吃了嗎？」

　　村長建議大家，在年獸還沒有
被消滅之前，到了晚上就盡量躲
在家裡，不要出門。

　　因此，到了冬天的夜晚，大家
都不敢出門，通通躲在家裡面。
村長也會大聲叫喊，通知大家：
「年獸來了，趕快躲進屋子裡，
關緊門窗，別讓年獸闖進去！」

後來，村民們發現，這隻年獸也有害怕的東西。原來，年獸害怕看見紅色的東西、害怕靠近火光，也害怕聽到巨大的聲音。因此，大家便想出一個方法來趕走年獸。

村民們找來紅色的桃木板掛在門口，並在門口燃燒火堆，讓年獸不敢靠近。有人建議：

　　「我們可以用火燃燒竹子，發出劈哩啪啦的巨響，一定可以嚇走年獸。」

　　到了那天晚上，年獸正想走
進村子，看見每戶人家都有紅
色的桃木和火光，牠嚇得不敢
往前靠近。這個時候，有人點
燃竹子、有人手拿著東西敲敲
打打，發出各種巨大的聲響。

年獸聽到了巨響，害怕地跑走。村民們非常高興，便鼓起勇氣追了過去，同時用力的敲打鍋子、鐵盆，發出乒乒乓乓的聲音，年獸嚇得趕緊躲到深山裡，再也不敢下山來了。

第二天天才剛亮，村裡的人都高興地出門，大家見面地第一句話就是：「恭喜！恭喜！我們都平平安安啦！」每戶人家都做了很多好吃的菜來慶祝趕走年獸，一家平安團聚。

從此，每到了歲末年終，家家户户都會以紅紙代替桃木，貼在大門上。並點燃燭火，晚上全家團聚守歲。第二天早上，也互相拜年道恭喜、放鞭炮，表示過了一個平安的年。

17

過年為什麼要貼春聯呢？

問：快要過年的時候，爺爺都會寫春聯，要
　　爸爸貼在門上，過年為什麼要貼春聯
　　呢？

答：古時候的人相信桃木可以避邪，所以每次到了過
　　年，家家戶戶都會拿桃木當作平安符掛在門口，
　　祈求大家在新的一年都能平安順利，這樣的木牌
　　就叫做桃符，桃符演變到後來就成了現在的春
　　聯。

除夕夜為什麼要吃年夜飯？

問：除夕夜那天，在外地工作的叔叔都會趕回家和我們吃年夜飯，除夕夜為什麼要吃年夜飯呢？

答：年夜飯又叫「圍爐」，以前的人一年到晚都忙著田裡的工作，只有在過年的時候才能休息幾天，所以到了除夕夜，一家大小都會圍圓桌吃飯，意思是希望一家團圓。吃飯的時候也要盡量慢慢的吃，表示這個家族可以長長久久。

為什麼會有壓歲錢呢？

問：過年的時候，爸爸、媽媽和長輩們都會給我們壓歲錢，壓歲錢是不是有特別的意義呢？

答：過年時，長輩給晚輩壓歲錢，晚輩給長輩磕頭拜年或守歲，都有互相為對方求福、求長壽的意義。爸爸媽媽給我們「壓歲錢」，是希望我們可以長命百歲，並且把去年不好的習慣都改掉，在新的一年裡，多了一歲，就該更懂事。

除夕夜為什麼要守歲？

問：每年除夕夜，姊姊都要我不能太早上床睡覺，說是要守歲，為什麼除夕夜要守歲呢？

答：所謂的「守歲」，就是守著時間，等待新的一年的到來。守歲有兩種含意，一是希望爸爸、媽媽或長輩們能夠長命百歲；二是想趕快擺脫舊的一年，趕走去年不好的運氣，迎接新春。

新年到

新年到，新年到，

穿新衣，戴新帽。

爸爸給我大利是，

要我快點長得高。

元宵節

　　在漢朝的時後，皇宮裡有個很
會做湯圓的小宮女，名字叫作元
宵。宮裡所有的人，都很喜歡吃
她做的湯圓。當時，皇宮裡還有
一個聰明的大臣叫東方朔，他是
皇上最寵愛的臣子。

　　有一天，東方朔來到花園散
步，看到一個小女孩坐在涼亭
裡哭泣，他好奇地走近一看，
原來是元宵姑娘！

　　東方朔問：「元宵，妳怎麼
了？為什麼哭得這麼傷心？」

　　元宵一看是好心的東方朔，很
難過的說：「自從我進宮之後，
就再也沒有回家過了，我好想念
我的家人。」東方朔聽完，非常
同情元宵，他決定幫元宵達成心
願。

東方朔想出了一個好方法，可以讓元宵和她的家人見面。他告訴元宵這個計劃後，就打扮成卜卦的道士，在長安大街擺起占卜的攤子。

神仙下凡

　　許多人爭著向他占卜求卦，可
是，每個人求到的籤竟然都是一
樣：「正月十五火焚身」。

　　大家奇怪的問：「先生，怎麼
會這樣？我們應該怎麼做，才能
逃過災難呢？」

大家都覺得非常害怕，東方朔說：「十三日傍晚，天上的火神君會派人查看長安城，你們若看到一個騎著黑馬、穿著紅衣綠褲的人，就跪下來懇求她，也許大家就可以得救。」

到了正月十三日傍晚，東方朔所形容的那個人真的出現，老百姓紛紛跪地苦苦的哀求：「火神君救命啊！火神君，請您可憐可憐我們吧！」

　　那個人說：「我是奉玉帝的命令來燒長安城的，到時玉帝會在天上觀看。既然你們這樣哀求，我就把這張令條交給你們，你們請皇帝想辦法吧！」說完便離開了。

　　老百姓拿起令條趕緊呈交給皇帝。皇帝一看，「長安有難，大火焚燒皇宮，十五日降下天火，燃燒整夜。」這可不得了了，皇帝連忙找聰明的東方朔來想想辦法。

東方朔假裝非常苦惱地想了一想，然後說：「請皇上傳旨令下去，要城中所有的百姓一起做花燈，到十五日晚上，家家戶戶都要把花燈掛在門口。」

　　東方朔接著又說：「大家再點
燃鞭炮、放煙花，好像滿城大
火，這樣就可以騙過玉帝。同時
讓城外百姓進城觀燈，宮中大
臣、妃子、宮女也出宮賞燈，混
在人群中消除災難。」

「此外，聽說火神君喜歡吃湯圓，所以請宮中最會做湯圓的元宵姑娘，在十五日前做好湯圓，讓皇上焚香上供，並下令家家戶戶也要做湯圓，一起供奉火神君。」

皇帝立刻傳旨，依照東方朔的方法去做。十五日晚上，城裡到處燈火通明、人來人往，非常熱鬧。元宵姑娘的家人也來到皇城裡，他們一家人終於團聚了，都高興地流下淚來。

40

熱鬧了一夜，長安城果然平安無事，以後每到農曆正月十五，大家都會做湯圓、放煙花、點花燈。因為元宵做的湯圓最好吃，所以湯圓又叫元宵，而農曆正月十五日就叫元宵節。

元宵節為什麼要提燈籠？

問：每年到了元宵節，媽媽都會買漂亮的燈籠給我，元宵節為什麼要提燈籠？

答：傳說以前在農曆正月十五那天，人們會看見月光下有一群天神走過。可是，有一年的元宵節晚上，一片黑雲遮住天空，人們看不見天神，就點了火把照亮天空。漸漸的，拿火把的習俗演變成現在的提燈籠。

為什麼元宵節要放天燈？

問：在元宵節那天，台北縣的平溪、十分一
帶的地方，為什麼要放天燈？

答：據說在兩百多年前，平溪這一帶的地區經常有強
盜出沒，村民為了躲避強盜，紛紛躲在山洞裡，
等到強盜走了，守衛的人會以放天燈做信號，通
知村民們回家，沿襲至今則演變成元宵節放天燈
祈福的習俗。

46

元宵節為什麼要施放蜂炮？

問：為什麼台南的鹽水鎮要在元宵節放蜂炮呢？

答：傳說在許多年前，台南鹽水一帶流行瘟疫，死了好多人，居民們便請神明幫忙驅除邪魔，為了助長聲勢，沿途大放爆竹煙花，連續放了三天直至元宵節，沒想到元宵節的第二天，瘟疫竟然消除了。所以，從此之後，便有元宵節施放蜂炮的習俗。

元宵節為什麼要吃湯圓？

問：每年到了元宵節，媽媽都會煮甜甜的湯圓給我們吃，元宵節為什麼要吃湯圓呢？

答：從前的人們過了農曆正月十五日，就要開始忙碌的農事生活，所以，他們非常重視元宵節，元宵節又稱為「小過年」。全家人會在這天 一起吃湯圓慶祝，象徵著家庭團圓、美滿幸福。

提燈籠慶元宵

紅豆餡、芝麻餡，
圓圓湯圓香又甜。
賞花燈、提燈籠，
大人小孩樂融融。

端午節

　　屈原是古時候春秋時代楚國的
大臣，他很愛國，也很關心老百
姓的生活。

　　可是，有一個大臣叫靳尚，他
非常嫉妒屈原被人們愛戴，常在
楚王面前說屈原的壞話。

靳尚說：「大王，那個屈原常常以為自己的本領很大，並在百姓面前取笑大王不會治理國家大事。」

楚王聽了非常生氣，也不聽屈原的解釋，就把屈原的職位撤除了。

秦國是楚國的敵人，秦王一直想殺害楚王，所以就設計陷阱，想騙楚王出國。

秦王派人告訴楚王，說是要送他很多美女，請他到秦國挑選。

　　在外流浪的屈原，一聽到這個
消息，就趕緊跑回到朝廷，勸楚
王說：「大王，您不能前去秦國
啊！這是秦王想要殺害大王的計
謀，您千萬不要中計。」

楚王不信任屈原，根本就不
聽他的勸告，將屈原趕走。結
果，楚王眞的被秦王殺害了。
　　屈原知道之後，傷心地說：
「大王，您爲什麼不相信我
的話呢？」

　　新的楚王即位之後，靳尚又在
繼位楚王面前說屈原的壞話，結
果，屈原被新王趕出國了。

　　可憐的屈原四處流浪，只好用
文字將所有的委屈和哀傷，寫成
了一首首愛國的詩篇。

一天，屈原來到汨羅江邊，他想到國家與老百姓的情況，心中覺得非常憂慮。

　　一位老漁夫看到屈原，好奇地問：「你不是屈原嗎？為什麼愁眉苦臉，有什麼心事呢？」

屈原嘆了口氣，說：「唉！我一心一意想為國家與老百姓做好事，卻得不到國君的信任，還將我趕了出來，你說我的心中怎麼會不難過呢？」

　　老漁夫拍拍屈原的肩膀說道：
「何必這麼認真？你看朝中許
多大臣，不管國家多麼混亂、老
百姓多麼可憐，他們還不是每天
照樣的吃喝玩樂，你一個人在這
裡擔憂有什麼用呢？」

屈原搖搖頭，漁夫接著又說：
「或者你就學學我吧！我每天
在這江裡捕魚、划船、唱歌，不
去過問國家大事，這種生活過得
也很舒服啊！」

屈原說：「我看見百姓生活得很艱苦，想到國家的處境，心裡就不安，哪裡會有好心情呢？」老漁夫看到屈原這麼固執，只好搖搖頭把船划走。

屈原嘆了口氣，心想：「大王不理國家大事，只聽壞人的話，人民又只是關心自己如何過活。唉！我活在這世上還有什麼意義呢？」於是，他抱起大石頭悲傷地跳進汨羅江裡。

這時，附近居民聽說屈原投江了，趕緊划著小船來救他，可是已經太遲了，他們怎樣也找不到屈原的屍體。

　　後來，居民們又擔心江裡的魚蝦會把屈原的身體吃掉，就用竹筒裝飯投入江中餵魚。

人們因為敬重屈原的愛國精神，所以，每年到了屈原投江的這一天（農曆五月五日），大家就划龍舟、包粽子來紀念屈原。

為什麼端午節要划龍舟？

問：每年一到端午節，很多地方都會舉辦划龍舟比賽，請問端午節為什麼要划龍舟呢？

答：古時候有一個詩人名叫屈原，因為憂心國家的前途，所以投江自盡。當時，人們看到屈原跳江自殺，被他的愛國精神所感動，於是紛紛划船前去搶救，可是最後都沒有找到屈原。而這種划船救屈原的行為，卻演變成在端午節划龍舟競賽的習俗。

端午節為什麼要包粽子？

問：每年到了端午節，媽媽和奶奶就會包粽子給我們吃，爲什麼端午節要包粽子吃呢？

答：屈原投江後，人們擔心他的身體會被江河裡的魚蝦吃掉，所以就用竹筒裝滿米飯丟入江中，希望魚蝦去吃竹筒裡的米飯，不要吃屈原的身體。後來人們爲了紀念屈原，每年都在農曆五月五日，也就是屈原投江的日子，用竹葉來包粽子吃。

為什麼端午節要戴香包？

問：端午節時，媽媽會買香包戴在我的身上。端午節為什麼要戴香包呢？

答：在中國民間的習俗裡，五月是「毒月」，五月五日是九毒日的開始。古時候的人們認為孩子生病就是有魔鬼纏身，他們相信麝香、檀香等具有避邪驅魔的作用，所以在端午節這一天父母都會在小袋子裡放入這些香料，掛在孩子們的身上，來驅走惡魔，避免生病。

端午節為什麼要插艾草？

問：端午節這天，爸爸都會在家門口插上艾草和菖蒲。為什麼端午節要插艾草、菖蒲，它有什麼作用呢？

答：過了端午節，炎熱的夏天就來到，這時，一些冬眠的蛇、蟲都會跑出來活動，而艾草和菖蒲的氣味具有驅蟲的作用。所以，人們相信在門口插上艾草、菖蒲，便可以辟邪驅瘟。

快樂的端午節

五月五日過端午，
划龍舟、吃粽子。
敲鑼打鼓咚咚鏘，
家家戶戶飄粽香。

74

七夕節

　　從前，有一個男孩叫牛郎，他
的父母很早就過世了，所以他跟
哥哥嫂嫂住在一起。可是因為家
裡窮，當牛郎長大後，哥哥嫂嫂
就只給他一頭老牛，讓牛郎自己
一個人獨立生活。

善良的牛郎就帶著那頭老牛在河邊定居下來。因為他很努力的耕種水稻，不久，就有了很好的收成，並且自己蓋了一間房子。

牛郎和老牛之間的感情就像家人一樣親密，空閒的時候，牛郎會騎在老牛背上，吹著他心愛的笛子；而老牛也會像聽懂了似的「哞…哞…」的回應。

可是，日子久了，牛郎覺得自己生活很寂寞，因爲家裡只有他和老牛，感覺非常孤獨。他還是希望有人能陪他聊天、說話，和他作伴。

　　有一天，老牛突然開口說起話來：「牛郎！你是不是很希望有人跟你作伴呢？」

　　牛郎非常驚訝的看著老牛，並且用力地點了點頭。

　　老牛又說：「後天的晚上，
會有七位仙女到河邊洗澡，你
可以偷偷的藏起其中一位仙女
的衣服，她的仙女衣不見了，
沒有辦法飛回天上，就會留下
來跟你作伴啦！」

　　兩天後的夜晚，牛郎真的照著
老牛的話去做。但是，當他看到
那位仙女因為找不到衣服傷心地
哭泣時，牛郎就不忍心的將衣服
還給了那位仙女。

　　仙女告訴牛郎，她是天上王母
娘娘的孫女，天邊彩霞都是她織
的，所以大家叫她織女。牛郎請
織女嫁給他，織女覺得牛郎很善
良，於是就答應了。

　　牛郎和織女結婚之後，每天都
過著幸福快樂的生活，他們還生
了兩個可愛的小孩。但是，幾年
後，老牛因為年紀大而過世了，
在臨死前牠告訴牛郎，要好好保
存牠的牛皮，以後可以利用牛皮
幫助他度過難關。

由於織女不在天上織彩錦，所以天邊不再有美麗的彩霞；而牛郎也因生活得太快樂，荒廢了耕種。王母娘娘知道了以後，非常生氣，便要天兵、天將將織女帶回天上，並且不准牛郎與織女二人再相見。

　　牛郎起了到老牛曾經跟他說的
話，於是披著牛皮，帶著兩個孩
子飛上天尋找織女。可是，他們
飛到了天上，卻被銀河阻隔，因
此沒有辦法見到織女。

　　牛郎不願意放棄與織女見面
的機會，每天帶著孩子在銀河
邊徘徊，不願回到地面。然而
織女也因為每天想念牛郎和兩
個孩子，憂傷得生了一場病。

王母娘娘看到這種情形，被他們堅定的愛情感動了。因此便將牛郎與織女召喚到面前，告訴他們：「如果你們能夠做好自己應做的工作，那麼我就答應讓你們一年見一次面。」

從此，織女專心的織彩錦，天邊又出現了美麗的彩霞；而牛郎也勤奮地耕種。每年到了農曆七月七日這一天，喜鵲們就會為他們搭起一座鵲橋，使牛郎、織女能跨過銀河相見。

七夕為什麼要拜「七娘媽」？

問：有孩子的家庭，為什麼在七夕拜七娘媽？

答：農曆七月七日是七娘媽的生日。在閩南一帶，傳說七娘媽就是織女的姐姐們。她們因為同情牛郎、織女的遭遇，暗中保護他們的孩子，因此大家都相信七娘媽是小孩的守護神。有孩子的家庭，會在七夕，七娘媽生日這一天，祭拜七娘媽，祈求七娘媽護佑孩子平安長大。

什麼是「做十六歲」呢？

問：今年，哥哥就滿十六歲了，媽媽說七夕那天要為他做十六歲，什麼是做十六歲呢？

答：台灣地區的習俗，當孩子滿周歲的時候，會帶他到寺廟祈求佛祖保佑，並用紅線將古錢或鎖牌串起來，懸在孩子頸上，祈求他平安長大。等到他滿十六歲時，就會在七夕這天，往寺廟祭拜還願，拿掉頸上紅線，並感謝佛祖的護佑。

七夕為何有乞巧的習俗？

問：乞巧是什麼呢？古時候的女孩子，爲什麼要在七夕「乞巧」？

答：相傳織女手藝很好，能織出美麗的彩雲，所以古時候的女子爲了使自己也能擁有如織女般的巧手，便有「乞巧」的習俗。七夕晚上，女孩們會手拿絲線對著月光穿針，看誰先穿過就是「得巧」。此外，還要在月下設香案，供上水果鮮花向織女乞巧。

七夕為什麼要拜魁星？

問：聽說七夕那天，讀書人要拜魁星，為什麼呢？魁星是誰呢？

答：傳說七月七日是魁星的生日，魁星被稱為科舉之神，想求取功名的讀書人會在七夕祭拜魁星，祈求自己考運亨通。魁星俗稱北斗魁斗星，為北斗七星的第一顆星。傳聞魁星生前雖滿腹學問，可是每考必敗，最後投河自盡，被鰲魚救起，昇天成為魁星。

七月七過七夕

七月七，過七夕，

牛郎織女喜相逢。

拜床母，吃巧果，

小孩平安樂融融。

中元節

　　目蓮是一個十分孝順的孩子，在他年幼的時候，因為家裡很貧窮，生活很困苦，所以他的父母親就把他送到一座離家很遠的廟裡當和尚。因此，目蓮有許多年都沒有回家，也沒有家人傳來的消息。

等到目蓮長大之後，他愈來愈思念父母，便回到故鄉。

可是，當目蓮回到家鄉，鄰居卻告訴他，他的父母親已經過世了，目蓮聽了非常難過。

目蓮聽老和尚說，人死後，
會到一個叫極樂世界的地方，
因此他決定到那裡去尋找他的
父母。可是，鄰居又對他說，
極樂世界在很遠很遠的西方，
一般人是沒有辦法到達的。

目蓮並不放棄，堅持要前往西方。他爬過一座又一座的高山、渡過一條又一條的河流，衣服刮破了、鞋底也磨破了，最後，終於來到了西方極樂世界的入口。

掌管西天的阿彌陀佛見目蓮一片孝心，非常感動，便親自告訴目蓮說：「你的父親已經上了天堂，你可以不必擔心；可是，你的母親因爲在生前做了許多的壞事，所以她死後被罰在地獄裡受苦。」

目蓮請求佛陀讓他見母親一面，他說：「母親懷胎十月辛苦的生下我，現在她在地獄裡受苦，我怎能不救她呢？」

於是，佛陀給他一缽蓮花，並且召喚地獄裡的牛頭馬面，讓他們帶目蓮去見他的母親。

目蓮他們下到地獄，走到一座
橋的前面，有許多人排隊等著過
橋。牛頭馬面告訴目蓮：
「這是奈何橋，乃是通往地獄的
入口，一個人活著的時候如果做
了壞事，就會來到這裡。」

　　目蓮問：「我的母親究竟做了
什麼壞事？為什麼會押來到地獄
呢？」牛頭馬面說：「你的母親
活著的時候，不但沒有做好事，
而且經常殺害小動物，所以她才
會被罰來到這裡。」

　　目蓮走過了奈何橋，來到第十
八層地獄，他找了許久，終於找
到了母親，他的母親顯得很瘦、
而且披頭散髮的跟一群餓鬼們搶
東西吃。目蓮趕緊將佛陀給他的
蓮花拿給母親吃。

　　但奇怪的是，蓮花卻變成一堆火焰，母親也被燙到了手。

　　目蓮的母親忍受不了飢餓的痛苦，便哭著對他說：「目蓮，我好餓、好痛苦，你快想想辦法，救救我吧！」

　　目蓮也急得不知道該怎麼辦才
好，他不忍心看見母親受苦。但
是牛頭馬面卻對他說：「你的母
親生前作了許多壞事，本來就應
該受到這些處罰。」

　　最後，目蓮決定請求佛陀的幫
忙，他向天高聲呼喊：「阿彌陀
佛，求您救救我的母親。」突然
間，一隻大手從天上降下，將目
蓮從地獄接走。

佛陀告訴目蓮，有一個方法
可以救他的母親。那就是他要
在農曆七月十四日這天，準備
許多食物供養眾僧，就可以藉
著僧人的佛法渡化他的母親，
同時也能解救別人的父母。

最後，因為目蓮的孝心，他的母親真的不再挨餓，而且還重新投胎做人，不必在地獄受苦了。

從此以後，這種供養眾僧的儀式，就演變成為人子女表達對祖先孝心的一種方式。

中元普渡的習俗是什麼？

問：聽人家說，盂蘭節家家戶戶都要普渡，
　　這是爲什麼呢？

答：中國是一個信奉多神的國家，不但對各種神都有
　　禮敬之心，連對鬼魂也會施予援手。而農曆七月
　　俗稱鬼月，相傳在這一個月裡，鬼魂可以離開地
　　獄來到人間。所以人們就會在七月舉行普渡，準
　　備很多食物祭拜祂們，希望鬼魂不要騷擾人間。

中元節前夕為何要放水燈？

問：每年到了盂蘭節前一天晚上，有些地方
都會舉行「放水燈」？這是為什麼呢？

答：傳說放水燈是要引導孤魂野鬼，能夠藉著水燈的
光，順利的來到人間，接受普渡。在七月十四日
晚上，地方上眾人都領著水燈陣遊街，然後再集
中河邊，舉行放水燈典禮，把水燈點燃放入河
裡，並任水燈順水往下流。

什麼是盂蘭盆會呢？

問：盂蘭節爲什麼要舉行盂蘭盆會？

答：盂蘭節就是佛教的盂蘭盆節，在這一天舉行盂蘭
　　盆會，是源自佛家「目蓮救母」的故事，目蓮準
　　備盆器陳列素果供品，供養眾僧，以解除母親在
　　地獄所受之苦。所以後來的佛門弟子就在盂蘭節
　　準備盂蘭盆，供養眾僧，以報父母養育之恩。

什麼叫做「搶孤」？

問：有些地方在農曆七月會舉行搶孤的活動，到底什麼是搶孤呢？

答：「搶孤」就是在普渡的廣場上搭起丈餘高的台子，稱為孤棚，上面放滿各種供品，普渡完畢後，所有的人便蜂擁而上搶奪祭品。搶孤活動在宜蘭頭城最具盛名，當天各地的人都會到這裡一睹盛況。最先搶到祭品和旗子的人，未來的一年都會很順利。

祭中元保平安

七月到，鬼門開，

雞鴨魚，桌上擺，

拜祖先，保平安，

好兄弟，不搗蛋。

中秋節

傳說古時候，天空突然出現十個太陽，使人民非常痛苦。

有一個神射手名叫后羿，他用弓箭射下九個太陽，解救了老百姓，並當上了皇帝，與妻子嫦娥在皇宮過著幸福的日子。

可是，時間久了，后羿卻變得愈來愈驕傲。有一天，后羿說：「像我這樣的大英雄，應該長生不老才對。」嫦娥說：「你努力做好皇帝，讓老百姓尊敬你，不是更好嗎？」

后羿說：「哼！只要我長生不老，自然能夠讓老百姓永遠聽我的話、永遠尊敬我。」

嫦娥聽了非常難過，她想不到后羿竟會變得這麼不講理。

后羿下定決心，無論如何都要找到長生不老的方法。他命令老百姓一定要找到祕方，否則就殺了所有的人。老百姓個個都非常的害怕。

　　有一天，一個長著白鬍子的老
爺爺拄著柺杖走進皇宮，告訴后
羿：「聽說在西邊的一座崑崙山
上，住著一位王母娘娘，她擁有
長生不老的仙丹。」

后羿聽了非常高興，急忙騎著馬，趕到西邊的高山上，尋找王母娘娘。后羿花了很久的時間、走了很長的路，終於找到王母娘娘。

　　王母娘娘一看到后羿便說：
「我知道你來這裡的目的，你
想要長生不老，對嗎？」后羿
一聽，急忙下跪，王母娘娘手
一揮，一個漂亮的葫蘆立刻出
現在她的手上。

　　王母娘娘說：「這裡有兩顆長
生不老的仙丹，一顆給你，一顆
給嫦娥，你們在八月十五日月圓
的晚上吃了它，就可以長生不老
了。記住，一人只能吃一顆，千
萬不可貪心！」

后羿高興的告訴嫦娥這個好消息，可是嫦娥卻非常擔心。她心想：「后羿愈來愈不替老百姓著想，如果他長生不老，那麼老百姓不就會更辛苦嗎？」

嫦娥決定要趁后羿不注意的時候，將仙丹丟掉，可是后羿每天都把仙丹帶在身上，嫦娥根本沒有機會偷仙丹。終於到了八月十五日這一天。

　　嫦娥想到后羿就快吃下長生不
老的仙丹，心裡非常著急。她突
然靈機一動，對后羿說：「等一
下我們就要吃仙丹了，讓我們來
喝酒慶祝吧！」

嫦娥端上美酒，不斷的勸后羿
多喝幾杯，不久，后羿就呼嚕呼
嚕的睡著了。嫦娥看到后羿睡著
了，就偷偷拿走放在后羿身上的
仙丹。

　　嫦娥正想將仙丹拿去丟掉，卻
不小心碰倒了椅子，「碰」的一
聲，后羿被驚醒了。
　　「嫦娥，妳拿我的仙丹做什
麼？」說著便要搶回仙丹。

　　嫦娥非常緊張，急忙把兩顆仙丹全吞下去。突然她的身體輕輕地飛了起來，愈飛愈高，愈飛愈高；很快的，嫦娥飛出了皇宮，飛到圓圓的月亮去了。

為什麼有送月餅的習俗？

問：中秋節的時候，為什麼大家都要送月餅給親朋好友呢？

答：在元朝時候，蒙古人統治中原，經常欺負漢人，為了怕漢人造反，還沒收了他們的武器。有一年中秋節前，有個人把紙條塞在圓餅裡，約好中秋節大家一起來對抗蒙古人，他把餅分送給親朋好友，然後通知大家趕走了蒙古人。從此，便有分送月餅給親朋好友的習俗。

吳剛伐桂的故事是什麼？

問：聽說吳剛伐桂是與月亮有關的傳說故
　　事，那是什麼樣的故事呢？

答：吳剛做事沒有恆心，有一天，他想學做神仙，
　　老神仙為了教訓他，就要他先把月亮上的桂樹砍
　　斷，才教他如何當神仙。可是沒有恆心的吳剛，
　　每次在桂樹快要砍斷時，又不想砍了。很奇怪的
　　是，那棵桂樹上的缺口又會自動復合，所以，吳
　　剛就永遠留在月亮上砍桂樹了。

中秋節為什麼要吃月餅？

問：中秋節快到的時候，糕餅店總會販賣很多種口味的月餅，大家為什麼要在中秋節吃月餅呢？

答：提起中秋的應景食品，大家一定會想到月餅，其實，中秋節吃月餅的習俗是從明朝才開始盛行的，在這之前，人們的中秋食品仍以應節的瓜果為主。月餅的形狀圓圓的像滿月，一家人賞月吃月餅，就像滿月一樣圓滿，具有家人時常團圓在一起的含意。

月兒圓過中秋

中秋夜，月兒圓，
全家一起樂團圓。
談天說地和嬉戲，
月亮看了笑嘻嘻。

繪　　圖	羅門藝術中心
責任編輯	黃鳴崗
出　　版	小樹苗教育出版社有限公司
地　　址	香港北角英皇道310號雲華大廈4/F 505室
電　　話	2508 9920
傳　　真	2508 9603
電　　郵	sesame01@hkstar.com
網　　頁	www.sesame.com.hk
版　　次	2005年10月

本書由台灣人類文化事業股份有限公司授權
香港小樹苗教育出版社有限公司出版發行